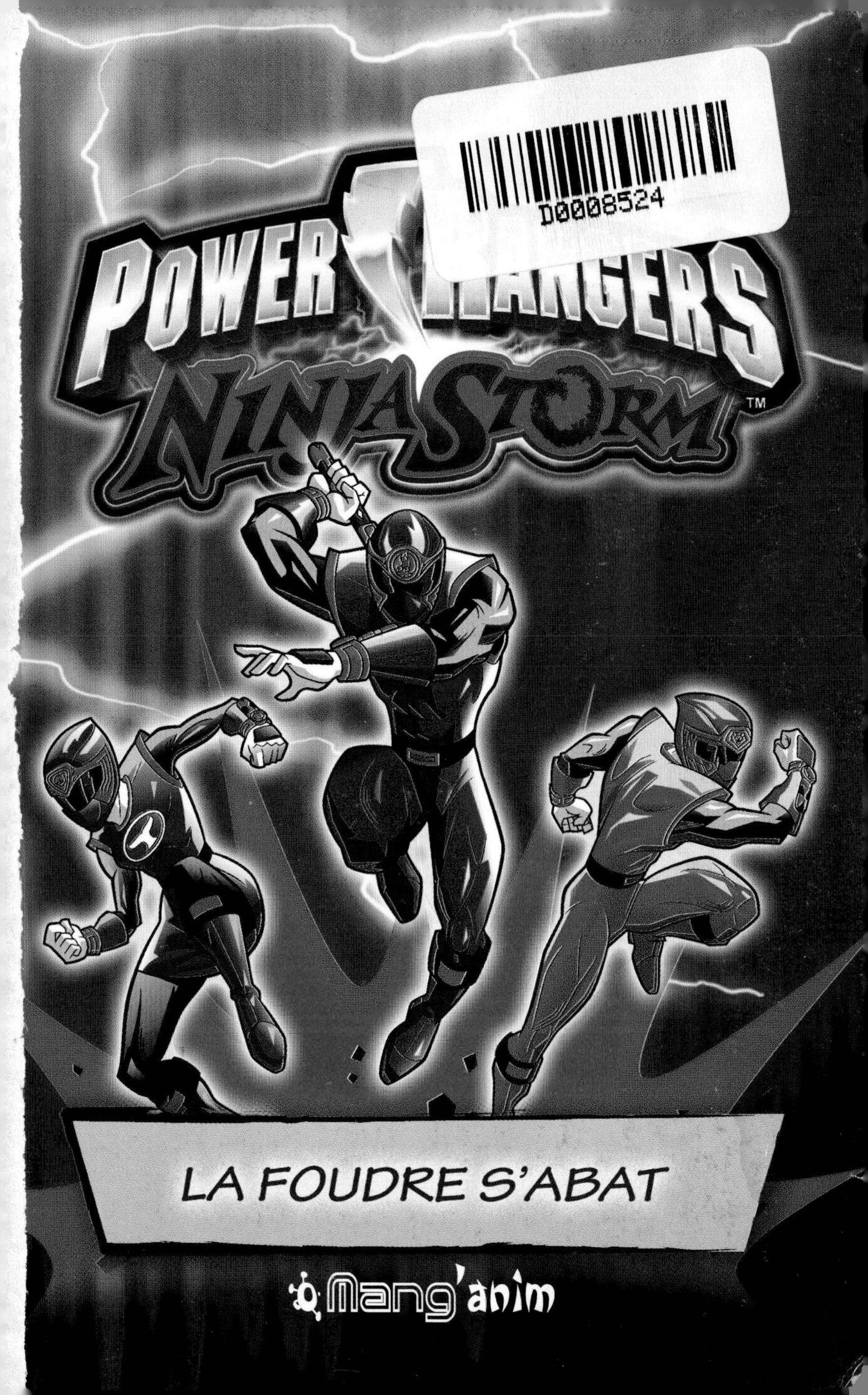
D0008524
POWER RANGERS
NINJA STORM
TM
LA FOUDRE S'ABAT
Mang'anim

PUBLIÉ POUR LA PREMIÈRE FOIS EN 2003,

PAR TOKYOPOP® CINE-MANGA™

SOUS LE TITRE
LIGHTNING STRIKE

ADAPTATION FRANÇAISE : E-NOVAMEDIA

LA FOUDRE S'ABAT

INDEX :

LA LÉGENDE DES POWER RANGERS

AU FIN FOND DE LA FORÊT, DES ÉCOLES NINJA SECRÈTES...

... FORMENT NOS FUTURS PROTECTEURS.

D'ANCIENS MANUSCRITS...

... ONT RÉVÉLÉ QUE TROIS D'ENTRE EUX SERONT CHOISIS.

TROIS QUI DEVIENDRONT...

... LES POWER RANGERS !

QUI EST QUI ?

UN SKATEUR DE FOLIE EXPERT EN PRISES NINJA. SHANE, LE RANGER ROUGE, FORCE CYCLONE DES ÉTOILES, TIENT SES POUVOIRS DE L'AIR ET DU CIEL.

UNE SURFEUSE AVEC LA FORCE, LA GRÂCE ET LES DONS D'UN NINJA. TORI, LE RANGER BLEU, FORCE CYCLONE DE L'EAU, EXPLOITE L'ÉNERGIE DES OCÉANS, DES LACS ET DES RIVIÈRES DE LA PLANÈTE.

UN COUREUR DE MOTOCROSS À LA VITESSE ET L'HABILETÉ NINJA INÉGALÉES. DUSTIN, LE RANGER JAUNE, FORCE CYCLONE DE LA TERRE, EXTRAIT SES REDOUTABLES POUVOIRS DE LA TERRE ELLE-MÊME.

LA TÊTE PENSANTE ET SENSEI DE L'ÉCOLE NINJA.

LE FILS DE SENSEI ET L'EXPERT EN TECHNOLOGIE DES POWER RANGERS.

UN MAÎTRE NINJA DIABOLIQUE QUI TENTE DE PRENDRE LES PLEINS POUVOIRS SUR LE MONDE, DEPUIS SON EXIL DANS L'ESPACE. LOTHOR COMBAT LES RANGERS À L'AIDE DE CRÉATURES HORRIBLES COMME LES KELZAKS.

LA NIÈCE DE LOTHOR ET LA SŒUR DE MARAH. KAPRI LA RUSÉE EST DÉTERMINÉE À EXTERMINER LES RANGERS.

LA NIÈCE DE LOTHOR ET LA SŒUR DE KAPRI. MARAH LA FOURBE PARTAGE AVEC SA SŒUR LE MÊME RÊVE : UN MONDE SANS POWER RANGERS.

UN EXTRATERRESTRE DIABOLIQUE ET MERCENAIRE DE LOTHOR QUI A LE POUVOIR DE MAGNÉTISER LES GENS ET LES OBJETS.

UN DES MONSTRES DE CONFIANCE DE LOTHOR.

LA BELLE ET LA BÊTE

POWER RANGERS
NINJA STORM™

TORI EN A PLUS QU'ASSEZ D'ÊTRE TRAITÉE COMME UN GARÇON. ELLE DÉCIDE DE PROUVER SA FÉMINITÉ EN ACCEPTANT UNE INVITATION À UNE SÉANCE PHOTOS POUR LE MAGAZINE GIRL SPORT.
MAIS ELLE NE SE DOUTE PAS QUE LA SÉANCE PHOTOS EST EN FAIT UN PIÈGE TENDU PAR MARAH AFIN DE CLONER TORI ET D'INFILTRER LE REPAIRE DES POWER RANGERS.

SHOOM!

SWOOSH!

KOOSH!

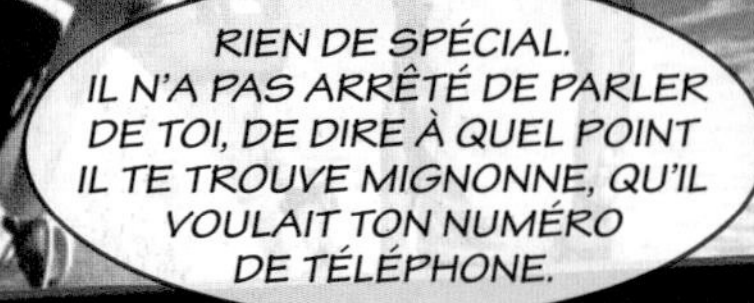

HO, HO, HO ! ARRÊTE. REVIENS EN ARRIÈRE LÀ. CE SURFEUR SUPER CANON VOULAIT EN SAVOIR PLUS SUR MOI ?
OUAIS, C'ÉTAIT VRAIMENT MINABLE.
ET TU L'AS LAISSÉ S'EN ALLER ?
COUP!
OUÏE ! HEIN ? POURQUOI TU RÉAGIS COMME ÇA ?
IL NE T'EST PAS VENU À L'ESPRIT QUE J'AURAIS PEUT-ÊTRE ÉTÉ HEUREUSE DE FAIRE SA CONNAISSANCE, DE VOIR S'IL AVAIT ENVIE DE SORTIR AVEC MOI UN DE CES QUATRE ?
TU PLAISANTES, HEIN ? QUOI... QU'EST-CE QUI NE VA PAS ?
VOILÀ UNE PREUVE SUPPLÉMENTAIRE QUE TU ES UN PAUVRE IDIOT.
JE DOIS Y ALLER, JE DOIS VOIR DUSTIN.
SÉRIEUSEMENT, JE N'AI PAS PENSÉ QUE CE TYPE T'INTÉRESSERAIT. JE PEUX ALLER LE CHERCHER...

OH, CLONONS-LE !
IL FAUT S'EN TENIR AU PLAN, MARAH. ÇA DOIT ÊTRE BLEU.
ELLE EST SI GUILLERETTE ET ATHLÉTIQUE QUE JE VOUDRAIS L'ENTERRER DANS LE SABLE JUSQU'AU COU.
FAUDRAIT D'ABORD QUE TU APPRENNES À CREUSER UN TROU.
LAISSE-MOI VOIR.
JAMAIS, N'ESSAIE PLUS JAMAIS DE ME TOUCHER. C'EST BIEN CLAIR ?
DÉSOLÉE.
GARDE BIEN À L'ESPRIT QUI COMMANDE ICI, ET IL N'Y AURA PAS DE CASSE.

PLUS TARD AU STORM CHARGERS...

CHARGERS

TU VOIS, ELLE M'EN VEUT À MORT.

SHANE PENSE QUE TU ES FURIEUSE CONTRE LUI.

JE SUPPOSE QUE C'EST POUR ÇA QUE LA COMBINAISON ROUGE LUI A ÉTÉ ATTRIBUÉE.

QUE S'EST-IL PASSÉ ? ÇA NE M'AVAIT PAS L'AIR D'ÊTRE SI GRAVE.

TU N'Y COMPRENDS RIEN, TOI NON PLUS. JE SUIS UNE FILLE. UNE FIIIIIIIIIIIIIILLLLLLLLLLLEU. TU PIGES ?

JE SAIS, MAIS TU N'ES PAS DU GENRE FI-FILLE. TU ES UN PEU GARÇON MANQUÉ...

UN PETIT CONSEIL POUR VOUS DEUX, LES GARS, ARRÊTEZ D'ESSAYER D'ARRANGER LES CHOSES... PARCE QUE VOUS NE FAITES QUE LES EMPIRER.

ÇA VIENT D'ARRIVER POUR TOI.
C'EST BIZARRE. D'OÙ ÇA VIENT ?
JE N'EN SAIS RIEN. C'ÉTAIT SUR LE COMPTOIR, DERRIÈRE.
Girl Sport
QUELQU'UN DU MAGAZINE GIRL SPORT M'A VUE SURFER ET IL VEUT ME PHOTOGRAPHIER POUR ILLUSTRER UN ARTICLE : « LES BEAUTÉS DE LA PLAGE ».
CE N'EST PAS LE MAGAZINE AVEC CES FILLES INCROYABLEMENT BELLES ?
OUAIS ! ET ALORS ?
ON FERAIT MIEUX DE SE LA BOUCLER MAINTENANT.
ALORS, TU VAS LE FAIRE ?
Girl Sport
JE VEUX LEUR MONTRER QUE JE NE SUIS PAS UNE ABRUTIE DE GARÇON MANQUÉ.
J'ESPÈRE QUE C'EST UNE RAISON SUFFISANTE.

AU REPAIRE DES POWER RANGERS...
TU CROIS QUE C'EST UNE BONNE RAISON DE FAIRE CETTE SÉANCE PHOTOS, SENSEI ?
LE POUVOIR D'UN NINJA COULE AU PLUS PROFOND DE SON ÊTRE.
CETTE FORCE INTÉRIEURE PEUT T'AIDER DANS TOUTE SITUATION.
TU N'ES D'AUCUN SECOURS, TU LE SAIS ?
IL Y A UNE DIFFÉRENCE ENTRE AIDER QUELQU'UN ET DÉCIDER POUR LUI.
O.K., SENSEI. ON SE VOIT PLUS TARD.
J'AI L'IMPRESSION D'AVOIR FAIT DE LA PROGRAMMATION PENDANT TROIS SEMAINES. J'EN AI DES AMPOULES AUX MAINS.
TON EFFORT EST ADMIRABLE, FILS. J'AI LE PRESSENTIMENT QUE NOUS EN AURONS BESOIN.

DANS LE VAISSEAU DE LOTHOR

LA SÉANCE PHOTO DE TORI...
Girl Sport
invites
TORI HANSON
to be part of their upcoming special
feature:
Girl Sport
C'EST BIEN ICI ?
IL FAUT AGIR.
DU CALME,
IL FAUT QUE L'ON
S'Y PRENNE
CORRECTEMENT.
CINQ SUR CINQ,
MON FRÈRE.

BONJOUR ? IL Y A QUELQU'UN ? JE SUIS TORI... JE...
TORI, TU ME SEMBLES UN PEU... ORDINAIRE.
VOYONS SI L'ON PEUT ARRANGER ÇA.
PARFAIT.
CLAP CLAP
NOUS SAVONS CE QU'IL TE FAUT, O.K. ?
ÇA NE ME CORRESPOND PAS.

ALLEZ, FAIS UN PETIT SOURIRE À L'APPAREIL. RESTE ICI.
PARFAIT. NE BOUGE PLUS. ÇA NE TE FERA AUCUN MAL.
DES CHEVEUX HORRIBLES, DES TENUES HORRIBLES, TROP DE MAQUILLAGE.
IF FOUND PLEASE RETURN TO LOTHOR
« SI VOUS LA TROUVEZ, RAMENEZ-LA À LOTHOR. » JE SAVAIS QUE JE VOUS AVAIS DÉJÀ VUES.
TU PENSES QUE JE METS TROP DE MAQUILLAGE ? TU SAIS, JE N'AI PAS UNE SUPER-PEAU.
MARAH !

KELZAKS !
ATTAQUEZ !
PALM MANAGER DE
MONSTRES.
HYAH !

CHARGE !
SWISH
SAUT
HÉ !
KAPOW!

KRAK
YANK
NON ! ARRÊTEZ !
PRISE
ALLONS-Y !
DEVANT L'APPAREIL. TENEZ-LA
DIS « CHEESE ».
TENEZ-LA. ET MAINTENANT !
CLIC !

ZZZAP!
HEIN ?
CE VISAGE TE REVIENT ?
QUOOOI !
NON !
ÇA A MARCHÉ !
QUELS SONT TES ORDRES ?
RETOURNE AU STORM CHARGERS ET FAIS EN SORTE QUE CES DEUX GARÇONS AILLENT VERS LEUR QUARTIER GÉNÉRAL.

OUI, M'DAME.
ET NE M'APPELLE PAS « M'DAME ». JE NE SUIS PAS BEAUCOUP PLUS VIEILLE QUE TOI.
ON PEUT ALLER FAIRE DU SHOPPING MAINTENANT ? J'AI LA CARTE BANCAIRE DE NOTRE ONCLE.
À L'INTÉRIEUR DE L'APPAREIL PHOTO...
OÙ SUIS-JE ?
KELZAKS ? FAITES-MOI SORTIR. LAISSEZ-MOI PARTIR.
ARRÊTEZ ÇA ! OÙ ALLEZ-VOUS ?
SECOUSSES
CAM, TU M'ENTENDS ? SHANE ? DUSTIN ? Y'A QUELQU'UN ?

PENDANT CE TEMPS, DE RETOUR AU STORM CHARGERS...
TAP TAP
INCROYABLE ! TU AS ATTERRI DANS UN MAGASIN DE FRINGUES OU QUOI ?
IL FAUT QUE J'AILLE AU REPAIRE IMMÉDIATEMENT.
J'PEUX PAS. J'AI TOUT UN TAS DE MOTOS EN ATTENTE DEHORS.
J'AI BESOIN QUE VOUS VENIEZ AVEC MOI. DES KELZAKS M'ONT ATTAQUÉE.
HEIN, CHUUUUUT !
QUE S'EST-IL PASSÉ ?

À L'INTÉRIEUR DE L'APPAREIL PHOTO…
BAM BAM !!
LE POUVOIR D'UN NINJA COULE AU PLUS PROFOND DE SON ÊTRE.
OUAIS !
JE FAIS APPEL AUX POUVOIRS DU NINJA BLEU DES EAUX MONTANTES.
GLOUP ! GLOUP !
SHOOOM !
OUAIS ! GÉNIAL !

AH, IL FAUT QU'ON S'ARRÊTE POUR METTRE DE L'ESSENCE.
ON NE S'ARRÊTE PAS.
BIEN, ET SI ON N'EN A PAS SUFFISAMMENT POUR LE TRAJET ?
ON Y ARRIVERA. CONDUIS, C'EST TOUT.
AÏE, NON. ILS FONT DES TRAVAUX.
NE T'ARRÊTE PAS !
COMMENT JE FAIS ?
ON NE S'ARRÊTE PAS.
QU'EST-CE QUE VOUS FAITES ? DÉGAGEZ ! MAINTENANT ! MAINTENANT ! MAINTENANT !

TORI NE TE SEMBLE PAS UN PEU TENDUE ?
OUAIS, UN PETIT PEU.
HÉ !
FURIEUSE
TORI, TORI ! C'EST LE TYPE DE LA DERNIÈRE FOIS.
QUEL TYPE ?
LE GARS SUR LA PLAGE, TU TE SOUVIENS ?
RIEN À FAIRE. ON PEUT Y ALLER ?
QU'EST-CE QU'IL T'ARRIVE ? JE CROYAIS QUE TU AVAIS FLASHÉ SUR LUI...
PEUT-ON Y ALLER S'IL VOUS PLAÎT !!!?
CONDUIS CETTE VOITURE ! ALLONS-Y !!!
BONNE IDÉE.

WHOOSH
SPLISH
ZOOM
QUOI MAINTENANT ?
HÉ, MEC, CETTE FILLE, ON DIRAIT TORI.
TU CROIS ?

SLAM
TOUT CE QUE TU PEUX FAIRE, JE PEUX LE FAIRE EN MIEUX.
À PART CHOISIR TES VÊTEMENTS. C'EST QUOI CETTE COIFFURE ?
DÉCHIRE
TU TE CROIS DRÔLE ? VIENS PAR ICI, L'AMIE.
IL FAUT QU'ON L'AIDE.
ATTENDS. QUI EST LA VRAIE TORI ?

DANS LE VAISSEAU DE LOTHOR...
BIEN ENTENDU, ELLE S'EST ÉCHAPPÉE.
VOUS ÊTES DEUX INCOMPÉTENTES. MAIS ON LE SAVAIT DÉJÀ. ZURGANE !
SIR !
J'ESPÈRE QUE TU AS UNE IDÉE CONSTRUCTIVE, ZURGANE.
J'AI UN PLAN DE RÉSERVE, SIR. JE M'Y METS TOUT DE SUITE.

NOM DE... !!!
TORI EST OCCUPÉE, AS-TU DIT. LE COPYBOT ARRIVE DONC À POINT POUR ENSOLEILLER TA JOURNÉE.
TU DEVINES CE À QUOI JE PENSE EN CE MOMENT.
TU LIS DANS MES PENSÉES, MON FRÈRE.
FUREUR NINJA ! HONNEUR RANGER !
WHOOSH
POUVOIR DE L'AIR.
AIR
POUVOIR DE LA TERRE.
EARTH

WHOOSH!
ZZZTT!
KA-ZAP!
AAAAH !
KA-POW!
J'AI L'IMPRESSION QUE TU ES TOMBÉE SUR PLUS FORTE QUE TOI. RENDS-TOI À L'ÉVIDENCE, SŒUR, TU ES FINIE.
BAM!

JE DIRAIS QUE C'EST PLUTÔT TOI, QUI ES FINIE.
GLOUP
SWOOSH!
PRENDS ÇA !
SPLASH !!!
AIDE-MOI ! JE SUIS EN TRAIN DE FONDRE !
OH, J'AI L'IMPRESSION QU'ELLE N'EST PAS EXACTEMENT COMME MOI.

ATTRAPE-LA !
LES GARS, C'EST MOI.
COMMENT SAIT-ON QUE C'EST LA VRAIE TORI ?
TON VRAI NOM EST ALFRED, ET, SHANE, TU AS PEUR DES ARAIGNÉES.
TU AS PEUR DES ARAIGNÉES ?
TU VEUX ME VANNER LÀ-DESSUS... ALFRED ?
AH ! VOUS AVEZ TERMINÉ ?
ÉCOUTEZ, LES GARS, VOUS POURREZ COMMENCER UNE THÉRAPIE DE GROUPE PLUS TARD, O.K. ? IL Y A DES CHOSES PLUS IMPORTANTES À ENVISAGER MAINTENANT.

FUREUR NINJA !
HONNEUR RANGER !
WOOSH
WATER
POUVOIR DE L'EAU.
KELZAKS, ATTRAPEZ-LES ; J'AI DIT : ATTAQUEZ IMMÉDIATEMENT !
ÉPÉES NINJA
MODE COMBAT

BATAILLE D'OMBRE NINJA.
JE VEUX BIEN UN PEU D'ACTION ÉGALEMENT.
SI TU NE PEUX PAS LES BATTRE, FAIS TOMBER L'ÉCRAN SUR EUX.
KZZZTT!
BONNE JOURNÉE.

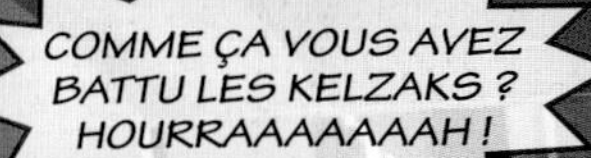

VOUS LES RANGERS ALLEZ PAYER DÈS QUE JE SERAI DE L'AUTRE CÔTÉ ! RANGERS, RELEVEZ-VOUS ET BATTEZ-VOUS SI VOUS ÊTES RÉELLEMENT FORTS !

C'EST FINI POUR VOUS, ROUGE, JAUNE ET BLEU !

ATTRAPONS-LE !

COPYBOT MAGIC, POUR TOI C'EST SI TRAGIQUE.

OÙ EST-IL PASSÉ ?

RANGER BLEU ATTAQUE INONDATION !

ATTAQUE INONDATION, NON, JE NE SAIS PAS NAGER ! JE SUIS VICTIME DE TON CAPRICE HUMIDE !

SHEEEEEM

WHOOSH!

RAFALE D'EAU NINJA !

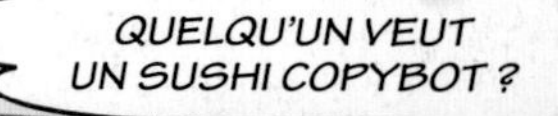

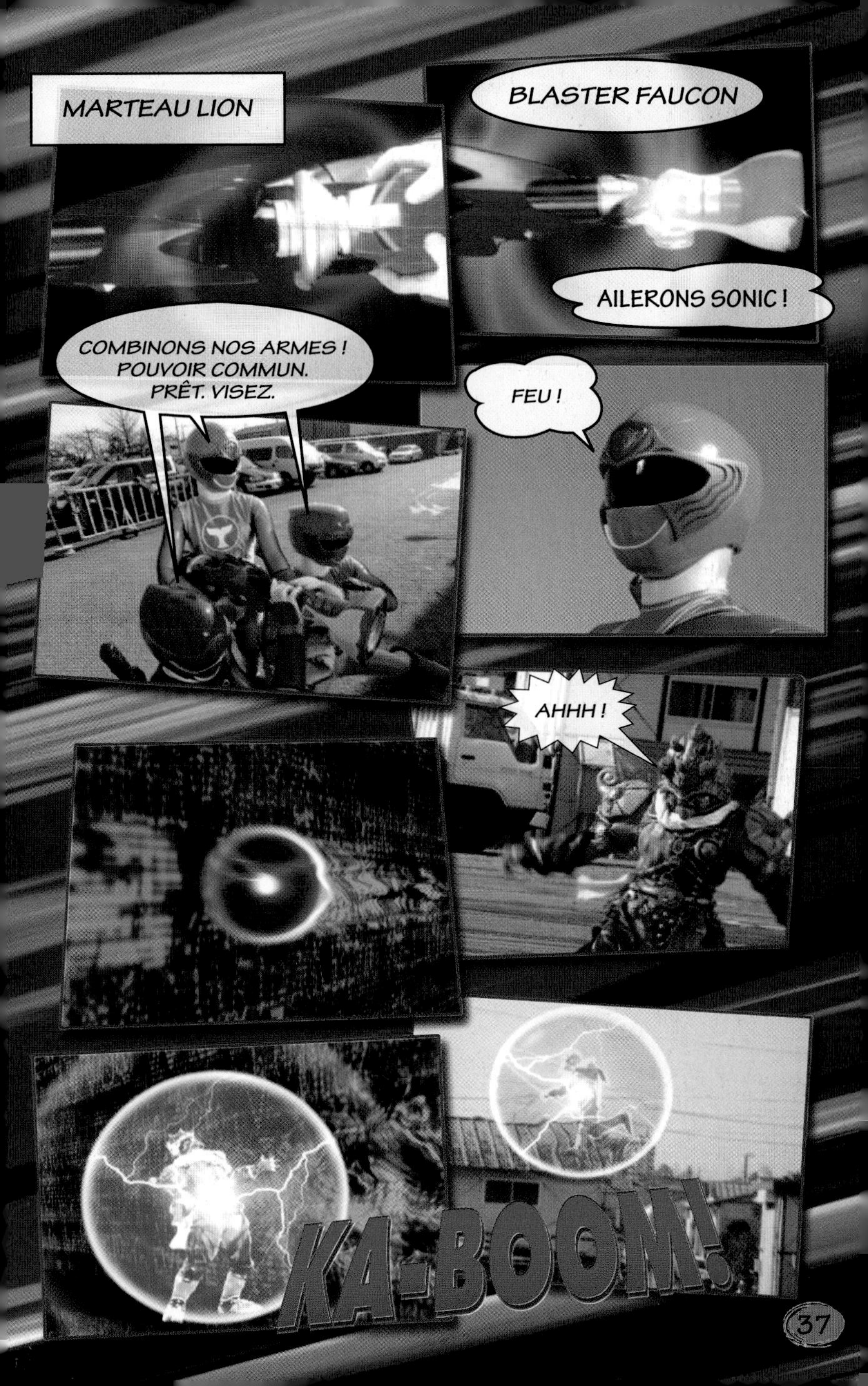
MARTEAU LION
BLASTER FAUCON
AILERONS SONIC !
COMBINONS NOS ARMES ! POUVOIR COMMUN. PRÊT. VISEZ.
FEU !
AHHH !
KA-BOOM!

POURQUOI RESTEZ-VOUS TOUS PLANTÉS LÀ COMME SI VOUS VENIEZ D'AVOIR UNE HALLUCINATION ? FAITES QUELQUE CHOSE !
TOUT DE SUITE, SIR !
CLIC
CLIC
CLIC
WHOOSH!
RIEN NE PEUT M'ARRÊTER MAINTENANT !
NON, PAS ENCORE.
JE DÉTESTE QUAND ÇA ARRIVE.

ILS GRANDISSENT TELLEMENT VITE.
REGARDEZ-MOI, JE SUIS AUSSI GRAND QU'UN ARBRE !
CAM, LE MOMENT EST VENU DE SORTIR LES ZORDS !
TROIS ZORDS EN ROUTE !
CLIC

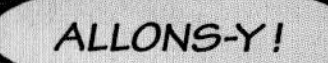
ALLONS-Y !

TU GRANDIS, NOUS GRANDISSONS, NOUS FORMONS LE MEGAZORD !
WHIRRR

RRRR

CHOOM

MEGAZORD, PRÊT POUR L'ACTION !

HÉ, PAR ICI,
ESSAYONS ÇA : COPYBOT,
POUVOIR MULTIPLICATEUR
OH, IL SE CLONE
LUI-MÊME.
ATTAQUE MULTIPLE !
RÉDUISONS-LES EN MIETTES !
KRAK

CAM, ON A UN SÉRIEUX PROBLÈME DE MULTIPLICATION ICI.
J'AI QUELQUE CHOSE POUR TOI. JE LUI AI TROUVÉ UN NOM : MEGAZORD ÉCLAIR. TU LE CONTRÔLES GRÂCE À TON POUVOIR INTERNE. MAIS SOUVIENS-TOI, IL NE DURE QUE SOIXANTE SECONDES.
SOIXANTE SECONDES ? IL FAUT PLUS DE TEMPS POUR FAIRE DU POP-CORN AU MICRO-ONDES.
ET CE TEMPS NOUS SERA SUFFISANT ; PRÊTS, LES GARS ?
ON EST CHAUD SUR L'AFFAIRE.
ALLONS-Y.
MEGAZORD ÉCLAIR, MAINTENANT !

LA TRANSFORMATION MEGAZORD ÉCLAIR EST ACHEVÉE !
NOUS SOMMES UNE MACHINE À COMBATTRE D'EXCEPTION.
HYAH!
SHEEEM
BOO !
KA-ZAK!
POW!

PRENDS ÇA
COPYBOT !
IL RESTE VINGT SECONDES.
KA-POW!
DIX SECONDES !
ARRÊTONS
LES FRAIS !
SLEEEE
NEUF, HUIT, SEPT, SIX,
CINQ, QUATRE, TROIS,
DEUX, UN.
MEGAZORD ÉCLAIR,
POUVOIR ÉTEINT.

RRRRT
RRRRT

DISQUES D'ÉNERGIE, INSÉRÉS, VÉROUILLÉS, PRÊTS.

KZZZTT!

WHOOSH

ZORD SERPENT. PUISSANCE TRIPLE.

MEGAZORD PUISSANCE TRIPLE !
BZZZZT!!!
KA-BOOM!
J'AI L'IMPRESSION QUE LA FORCE INTÉRIEURE NE PEUT ÊTRE COPIÉE PAR LE COPYBOT !

BEAUCOUP PLUS TARD, AU STORM CHARGERS...
QUOI ? QU'EST-CE QUE TU REGARDES ?
RIEN... HUM... JE CONSTATAIS QUE... J'VEUX... ON PEUT PAS DIRE QUE TU SOIS MOCHE, TU SAIS.
ÇA ALORS, MERCI.
TORI, IL Y A UN CLIENT ICI QUI A BESOIN D'UN RENSEIGNEMENT SUR UNE PLANCHE DE SURF. PEUX-TU ME DONNER UN COUP DE MAIN ?
TU RÉALISES QUE JE NE TRAVAILLE PAS ICI ?
OUI. O.K. ! PEUX-TU ALLER LUI PARLER ?
D'ACCORD...
JE PEUX VOUS AIDER ?
WOW !
BONJOUR, JE SUIS TORI.

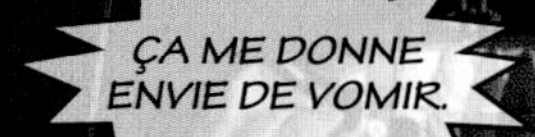

C'EST PLUTÔT MIGNON, NON ? J'AIMERAIS BIEN RENCONTRER UN TYPE CANON COMME LUI.

ÇA ME DONNE ENVIE DE VOMIR.

TOUS LES MECS QUI S'INTÉRESSERONT À TOI AURONT HUIT JAMBES ET UN EXOSQUELETTE.

POURQUOI ?

PARCE QUE TU ES VRAIMENT LAIDE !

JE ME TROUVE BELLE.

TU DÉLIRES.

NON, JE NE SUIS PAS LAIDE. TU ES VRAIMENT MÉCHANTE !

AVEZ-VOUS CONSCIENCE DES CONSÉQUENCES DE VOTRE BÊTISE, QUE VOS PETITS ÉBATS SUR LA PLAGE ONT PRESQUE RÉDUIT MES PLANS À NÉANT ?

QUI C'EST ÇA : NÉANT ?

VOUS DEUX, ALLEZ DANS VOS CHAMBRES JUSQU'À CE QUE JE VOUS TROUVE UNE PUNITION.

TOUT SE PASSE COMME PRÉVU.

RANGERS TONNERRE, AU RAPPORT !

QUE LA PARTIE COMMENCE.

EXCELLENT.

WATER
AIR
EARTH
NINJA POWER

FIN

de l'episode

LES RANGERS TONNERRE ATTAQUENT

POWER RANGERS NINJA STORM™

LES PRIORITÉS DE DUSTIN SONT REMISES EN QUESTION LORSQU'IL SE MET À NÉGLIGER SA FORMATION NINJA POUR PASSER DU TEMPS AVEC SES AMIS DU MOTOCROSS. PENDANT CE TEMPS, TERRAMOLE OCCASIONNE DES DÉGÂTS CONSIDÉRABLES SOUS LA VILLE ET LES DIABOLIQUES RANGERS TONNERRE PRÉPARENT LEUR ATTAQUE.

NNRRR
ZOOM
OUAIS, DUSTIN.
TU ES PRÊT ?
ALLONS-Y.
RRRR
NEE-RRR

SAUT
OHH, ATTENDS !
NNRRR
FINISH
OUH LÀ,LÀ !
RACING SEASON
TU AS DÉJÀ VU CES TYPES AVANT ?
ILS PILOTENT COMME DES VRAIS PROS. JE M'EN SOUVIENDRAIS.
ENCORE HEUREUX QU'ILS N'AIENT PAS MA 125S.

SALUT, LES GARS ; ÇA VA ?
LA PISTE EST UN PEU GRASSE.
ÇA N'A PAS EU L'AIR DE VOUS RALENTIR, LES GARS.
JE M'APPELLE BLAKE. LUI, C'EST MON FRÈRE, HUNTER.
VOUS ÊTES FRÈRES... ?
ON A ÉTÉ ADOPTÉS.
AH O.K., SUPER. MON NOM EST DUSTIN. JE NE VOUS AI JAMAIS VUS ICI . OÙ EST VOTRE PISTE D'ENTRAÎNEMENT ?
EUH, ON VIENT DE...

DU CALME, FRÉRO. ET IL SE DEMANDE POURQUOI IL N'A PAS D'AMIS !
LAISSE TOMBER, TU PEUX PAS CONNAÎTRE
TU ÉTAIS PLUTÔT RAPIDE TOUT À L'HEURE.
... BON... JE DOIS PERDRE DEUX SECONDES AU TOUR SUR VOUS.
MANQUE D'AÉRODYNAMISME DANS TES SAUTS. ÇA TE RALENTIT.
ÉCOUTE, QUE FAIS-TU ? TU VEUX NOUS SUIVRE ?
ON PEUT REMETTRE ÇA À UNE PROCHAINE FOIS ? IL FAUT QUE J'Y AILLE.
OUAIS, PAS DE SOUCI. À LA PROCHAINE.
À PLUS TARD.

TORI ? SHANE ?
OH NON, NE ME DITES PAS
QUE J'AI ENCORE
MANQUÉ L'ENTRAÎNEMENT.
JE CHERCHE LES ENNUIS.
HÉ, LES GARS !
HEIN ?
BZZZZT !
UNHH!

ON ARRIVE.
WHOA!
BOOM
OH, BON SANG.
RRRR

BZZZZT
OUH LÀ, LÀ
SALUT, DUSTIN !
SALUT.
J'AI DIT À CES GARS DE NE PAS ATTAQUER L'ENNEMI AVANT QUE NOS MOTOS SOIENT PRÊTES. BIEN ENTENDU, PERSONNE N'ÉCOUTE UN BINOCLARD COMME MOI.
CE SONT LES MOTOS TSUNAMI ?
ELLES SONT GÉNIALES !
JE CROYAIS QU'ELLES NE SERAIENT PRÊTES QUE DANS QUELQUES MOIS.
MOI AUSSI, JE LE CROYAIS.

EUH, DIS-MOI, TU AS QUELQUE CHOSE POUR MOI ?
NON, JE DEVRAIS ?
ALLEZ, ARRÊTE DE ME FAIRE MARCHER.
SÉRIEUSEMENT, JE NE VOIS PAS DE QUOI TU PARLES.
TU ES EN TRAIN DE M'EXPLIQUER QUE L'EXPERT EN MOTOCROSS EST LE SEUL À NE PAS AVOIR UNE MOTO TSUNAMI ?
O.K.... D'ACCORD. JE TE PRÉSENTE TA NOUVELLE COMMANDE CENTRALE. REGARDE-MOI ÇA.

OH, IMPRESSIONNANT !
D'ACCORD AVEC TOI, DUSTIN.
TU AS DES INSTRUCTIONS PARTICULIÈRES POUR LA MOTO ?
OUAIS, FAIS ATTENTION À… OH, ET PUIS TANT PIS.
SAUT
ZOOM
OUAIS, MA BELLE. VOUS ALLEZ VOIR CE QUE VOUS ALLEZ VOIR, ATTENDEZ !

NNRRR
DUSTIN, TU ES LÀ.
ELLES SONT MORTELLES !
REGARDEZ, LES FÊLÉS SONT DE RETOUR !
C'EST PAS UN SOUCI.
KA-ZZZZZ
OH ! GÉNIAL LE LASER !

OUAIS !
ARRÊTE-TOI OÙ TU PEUX... MÊME SUR UN KELZAK !
OUAH ! ÇA, C'EST DE LA PISTE.
PERSONNE NE TOUCHE À MA 250S. ME VOILÀ !
C'EST JUSTE UN ÉCHAUFFEMENT.
OUH. QUEL PIED !
DOMMAGE POUR LES KELZAKS.
PAS POUR LONGTEMPS.

KA-ZZZZZ
BOOM
GÉNIAL. PARFAIT !
OUAIS !!!
FUREUR NINJA
D'ACCORD !

SALUT, LES GARS.
CES MACHINES SONT GÉNIALES.
TU SAIS, SHANE TU AS EU DE LA CHANCE. ELLES ONT ENCORE BESOIN DE RÉGLAGES.
DUSTIN, ÉTANT DONNÉ QUE TU ES L'EXPERT EN MOTOS, JETTE UN COUP D'ŒIL À CE CD ET ÉTABLIS-MOI UNE COURBE D'ALTITUDE POUR L'AUTO-ÉJECTION. N'ESSAIE PAS DE JOUER AUX JEUX VIDÉO AVEC... OU AUTRE CHOSE... ENFIN... LE GENRE DE TRUCS QUE TU FERAIS.
JE NE SUIS PAS COMPLÈTEMENT STUPIDE.
AH BON ? TU AS UNE CHANCE DE LE PROUVER.
OÙ ÉTAIS-TU AUJOURD'HUI ?
SUR LA PISTE. J'AI RENCONTRÉ CES DEUX GARS ULTRA-RAPIDES. UN TRUC DE DINGUES. ON VA FAIRE LA COURSE PLUS TARD.
CE N'EST PAS MON PROBLÈME. SOUVIENS-TOI QU'IL Y A DES PRIORITÉS.

OBSERVANT À DISTANCE...
ON EN A ASSEZ VU.
ALLONS-Y.
LAISSEZ-MOI DEVINER. VOTRE MISSION QUI ÉTAIT DE SUBTILISER LES MOTOS TSUNAMI A ÉCHOUÉ ?
CE N'EST PAS MA FAUTE. LES KELZAKS ONT ÉTÉ BATTUS.
ZURGANE, JE ME LASSE D'ENTENDRE CET ÉTERNEL REFRAIN. FAIS UNE PAUSE, PRENDS-TOI UN CAFÉ. VOYONS VOIR CE QUE DU SANG FRAIS PEUT NOUS APPORTER. AVANCEZ, RANGERS TONNERRE.
RANGERS TONNERRE ?

TU SAIS À QUOI JE PENSE ?
NON, ABRUTIE.
CE ROUGE À LÈVRES TE DONNE LA TÊTE D'UN LÉZARD ?
ON POURRAIT VRAIMENT S'AMUSER ?
DEUX MÉCHANTS RANGERS, QUI FERAIENT DE BONS PETITS AMIS... DEUX SŒURS LIBRES...

NOTRE PLAN POUR INFILTRER LES RANGERS EST FIN PRÊT, LOTHOR.
JE ME FICHE DE TES « FIN PRÊT ». TU VOIS, JE SUIS UN GÉNIE DIABOLIQUE POUR QUI SEUL LE RÉSULTAT COMPTE.
COMMENT OSEZ-VOUS PARLER AINSI À LOTHOR ? INCLINEZ-VOUS ET MONTREZ-MOI DU RESPECT !
NE NOUS COLLEZ PAS LA PRESSION. ON SAIT CE QU'ON FAIT.

ÉCOUTE, PUISQUE TU VAS TE FAIRE UN CAFÉ, PROFITES-EN POUR ME RAMENER UNE PETITE TASSE, PAS DE LAIT, UN SUCRE...
OH, OH, PRENDS-NOUS AUSSI DES GÂTEAUX ! ILS SONT DÉLICIEUX !
ASSEZ ! COMBIEN DE FOIS DEVRAI-JE VOUS DIRE QU'IL N'Y A PAS DE « JE » DANS UNE ÉQUIPE ?
RANGERS, PARTEZ. FAITES CE QUE VOUS AVEZ À FAIRE. MAIS SOUVENEZ-VOUS, JE N'ATTENDRAI PAS ÉTERNELLEMENT.
ILS SONT CRAQUANTS !
CRAQUANTS COMME UN GÂTEAU !

SECOUSSES
C'EST UN TREMBLEMENT DE TERRE ?
VIBRATIONS
JE VAIS FAIRE TREMBLER CETTE VILLE !
ÉTINCELLES !
GRONDE
ALLUME LES GROUPES ÉLECTROGÈNES !
MERCI, RANGERS TONNERRE.

AU REPAIRE NINJA...
GRONDE
GRONDE
C'EST UNE PERTURBATION SOUTERRAINE... C'EST PAS BON.
AHHH ! NOM D'UN...
GRONDE
ÇA S'EST ARRÊTÉ.
LES SISMOGRAPHES ONT DÉTECTÉ UNE ACTIVITÉ TRÈS INTENSE.
VOILÀ POURQUOI.
C'EST UNE ÉNORME TAUPE.
DÉSOLÉ, LES GARS, J'AI EU UN ACCROCHAGE SUR LA PISTE.

IL EST À
LA CARRIÈRE.
MIEUX VAUT TARD
QUE JAMAIS.
ON Y EST. PRÊT ?
FUREUR NINJA !
HONNEUR
WHOOSH
EARTH
AIR
WATER
POUVOIRS
DE LA TERRE, DE L'AIR,
DE L'EAU !!!

PENDANT CE TEMPS, À LA CARRIÈRE...

NOM DE...

OUF. QUELLE JOURNÉE. C'EST UN BOULOT INGRAT QUE DE DÉTRUIRE UNE VILLE. JE VEUX QUE ÇA SOIT COMPTÉ EN HEURES SUP.

HÉ, LÀ-BAS !

AH OUAIS ? BIEN, VOTRE TENUE ME FAIT DIRE QUE VOUS ÊTES LÀ POUR M'EMPÊCHER DE CONTINUER.

ON N'AS PAS AIMÉ CE QUE TU VIENS DE FAIRE.

DRILL

ATTRAPEZ-MOI SI VOUS LE POUVEZ !!!

OÙ EST-IL ?
DEVINE AU HASARD ?
RRRR
OH ! NON !
OH ! NON !
OH ! NON !
OH ! NON !
DRRRILL
IL A ENCORE FICHU LE CAMP.
O.K., ON VA CREUSER, SALE TYPE !
PLONGEON NINJA.
DRRRILL

DUSTIN !
FAIS ATTENTION !
RRRR
RRRR
CRASH
AAAAHHH !!!
TU AS FAIT
UN SACRÉ TROU.

TERRAMOLE DANS LA HIZZOUSE ! REGARDEZ-MOI ET PRENEZ UNE LEÇON, RANGERS. JE VAIS MASSACRER VOTRE VILLE.
À PLUS TARD, RANGERS.
HÉ, ATTENDS, REVIENS ICI.
IL REVIENDRA.
PLUS TARD AU STORM CHARGERS...
CHARGERS
HÉ LES GARS, GÉNIAL, VOUS ALLEZ POUVOIR ENFIN FAIRE CONNAISSANCE ! SHANE, TORI, VOICI HUNTER ET BLAKE.
SALUT.
BONJOUR.

SALUT.
COMMENT ÇA VA ?
DUSTIN NOUS A BEAUCOUP PARLÉ DE VOUS.
MAIS IL NE NOUS AVAIT PAS TOUT DIT.
DUSTIN, TU AS UNE MINUTE.
TU ÉTAIS CENSÉ RETOURNER AUX SERVICES OPÉRATIONNELS.
QU'EST-CE QU'IL Y A ?
SENSEI N'EST PAS CONTENT. IL A CE TIC QUI LE REPREND AVEC SON NEZ, MAUVAIS SIGNE.
OUI, J'EN AVAIS L'INTENTION MAIS CES DEUX GARS ÉTAIENT ICI ET ON A COMMENCÉ À EXAMINER CES DEUX BÉCANES ET J'AI PAS VU LE TEMPS PASSER.

OH OH ! VAUT MIEUX QUE J'Y AILLE.
ALLEZ TORI, CONDUIS-MOI. SALUT, LES GARS !
ON SE VOIT PLUS TARD, TORI.
À PLUS TARD
OUAH, MON POTE, CETTE TORI EST TROP MIGNONNE !
OUAIS. MAIS JE ME DEMANDE POURQUOI ELLE TRAÎNE AVEC UN PAUVRE TYPE COMME DUSTIN ?
QUI SAIT ? PEUT-ÊTRE SE TROUVE-T-ELLE UNE VOCATION CHARITABLE ?

PLUS TARD, DANS LES SERVICES OPÉRATIONNELS NINJA...
... 98, 99, 100. ÇA T'APPRENDRA PEUT-ÊTRE L'IMPORTANCE DE LA PONCTUALITÉ.
ET TU VAS AVOIR DES BICEPS D'ENFER.
SALUT, EUH, DUSTIN ; TU AS UNE MINUTE ?
SALUT, MON VIEUX. JE SUIS DÉSOLÉ, J'AI JUSTE...
TU LES CONNAIS VRAIMENT BIEN, HUNTER ET BLAKE ? ILS ARRIVENT DE NULLE PART, ET SOUDAIN ILS DEVIENNENT TES MEILLEURS AMIS.
C'EST LE MOTOCROSS QUI NOUS RAPPROCHE. JE N'AI JAMAIS RIEN DIT POUR TES AMIS SKATEURS, CES PETITS FRIMEURS.
FRIMEURS ? N'IMPORTE QUOI. MOI AU MOINS, JE SAIS FAIRE LA PART DES CHOSES.
DEPUIS QUE TU TRAÎNES AVEC CES TYPES, TU AS PERDU LE SENS DES PRIORITÉS.

ÇA VA PAS, LA TÊTE ? TORI, VIENS À MON SECOURS.
OH, O.K.... J'ADMETS QUE J'AI ÉTÉ TÊTE EN L'AIR RÉCEMMENT.
ON EST PAS EN TRAIN DE JOUER. IL S'AGIT DE LA FIN DU MONDE. TU COMPRENDS ÇA ?
SENSEI ? AIDE-MOI !
TU NE PEUX COMPTER QUE SUR TOI-MÊME, DUSTIN, EN AGISSANT, PAS EN PARLANT.
JE N'EN REVIENS PAS.
JE VAIS FAIRE UN TOUR EN MOTO.

NEE-RRR
Thanks FOR ANOTHER GREAT RACING SEASON
OBSTACLE FRANCHI, PAS DE PROBLÈME CETTE FOIS-CI.
SI TU CONTINUES COMME ÇA, TU SERAS PRÊT POUR LA 250S.
JE SUIS VRAIMENT HEUREUX DE VOUS AVOIR RENCONTRÉS LES GARS. CE N'EST PAS FACILE DE TROUVER DES GENS QUI PARTAGENT LA MÊME PASSION.
JE COMPRENDS.

SECOUSSES
OUAH !!!
RRRR
VIBRATIONS
HO, C'EST PAS VRAI !!!
QU'EST-CE QUE C'ÉTAIT !?
J'EN SAIS RIEN ; BIZARRE, HEIN ?
BIZARRE TA MONTRE. ELLE A UNE BOUSSOLE ?

OUAIS, IL Y A PLUSIEURS GADGETS SYMPAS SUR CETTE MONTRE. JE VOUS LA MONTRERAI UNE AUTRE FOIS. IL FAUT QUE J'Y AILLE.
HÉ, POURQUOI TU N'AS JAMAIS LE TEMPS ?
OUAIS, DUSTIN, SI TU VEUX DEVENIR UN PILOTE PRO, IL FAUT QUE TU T'ENTRAÎNES COMME UN PRO.
ALLEZ, DUSTIN.
VOYONS VOIR SI TU PEUX GRATTER QUELQUES SECONDES SUR TON CHRONO.
VOUS SAVEZ, IL FAUT VRAIMENT QUE J'Y AILLE. ON SE VOIT PLUS TARD.
À PLUS TARD.
SAC À DOS DE DUSTIN.

PENDANT CE TEMPS...
OÙ EST-IL ? DUSTIN DEVRAIT ÊTRE ICI !
AHHHH!
SHANE !
LAISSE-LA PARTIR !
ATTENTION !
AGHHHH !
WHOOSH

CRASH
OÙ EST DUSTIN ?
CE DEMEURÉ ?! SES JOURS DE RANGERS SONT DÉJÀ DERRIÈRE LUI.
CE TYPE EST FORT !
OUAIS !
HÉ, NOUS SOMMES LES SEULS À POUVOIR LE TRAITER DE DEMEURÉ.
OH, ATTENDEZ !
JE N'EN REVIENS PAS, J'AI ÉTÉ COINCÉ DANS LES BOUCHONS. J'ESPÈRE QU'IL N'EST PAS TROP TARD.
ZAP
BZZZZT !

DUSTIN !
J'ARRIVE, LES GARS.
WHOOSH
POUSSE-TOI, LA TAUPE.
ON NE VA PAS SE CACHER ÉTERNELLEMENT. SORTONS MARTEAU LION.
DRRRILL
OBSERVE-LE. SES ACTIONS SERONT LA PREUVE DE SON IMPLICATION.
WHOOM
DUSTIN S'EST POINTÉ TROP TARD. J'AI CRU QU'IL N'ARRIVERAIT JAMAIS.

VOYONS VOIR SI ÇA PEUT M'AIDER À FRAPPER UN GRAND COUP ?
WHOOM!
HAAAAAAA !
DEVINE À QUOI JE PENSE ?
AILERONS SONIC !
BLASTER FAUCON !
MARTEAU LION !
PRÊT !
PRENDS ÇA !
FEU !

100t
CENT TONNES DE PLAISIR !
AHHHH!!!
BOOM!
OH OUAIS ! GÉNIAL !
C'ÉTAIT CELUI-CI ? O.K., JE CONNAIS UN TRUC QUI VA LE SURPRENDRE...
HO, LAISSE-MOI LE FAIRE !

WHOOSH!
DEVINEZ-VOUS QUI EST LA TAUPE MAINTENANT ?
CAM, TU SAIS CE QUI RESTE À FAIRE : ZORDS NINJA !

MEGAZORD FORMATION !
MEGAZORD ÉCLAIR !
C'EST L'HEURE DES TRAVAUX PRÉPARATIFS.
DRRRILL
IL EST TROP RAPIDE !
ENCORE PARTI.

MEGAZORD ÉCLAIR ENCLENCHÉ.
VOUS ME CHERCHEZ ? VOUS DESCENDEZ !
RRRRRRRRRR
ENCORE CE TRUC QUI CREUSE !
C'EST UNE TAUPE, SHANE. C'EST CE QUE FONT LES TAUPES.
CONNECTE-TOI, JE VEUX T'ENVOYER UN PROGRAMME QUI T'AIDERA. TÉLÉCHARGEMENT DE LA SPHÈRE D'ÉNERGIE QUATRE.

PARFAIT ! REÇU !
VOYONS VOIR SI ON A TIRÉ LE GROS LOT ! INSERTION DU DISQUE D'ÉNERGIE... MAINTENANT !

CLIC
MARTEAU BÉLIER
DÉPLOYEZ !
IL EST TEMPS DE SE DÉBARRASSER DE LA CRASSE !
DRRRILL
PAS SI SÛR, IMBÉCILE.
BON MOMENT POUR LE MARTEAU !

SHEEEM
KA-BOOM!
ON A RÉUSSI !
MERCI, DUSTIN ! TU AS ÉTÉ GÉNIAL !
OUAIS !

PLUS TARD...

SPLASH

ESSUIE

MERCI POUR LA DOUCHE.

DÉSOLÉ. J'AI L'AIR D'ÊTRE PLUS RAPIDE ?

TU ES SENSATIONNEL, MON POTE. HÉ, EUH, OÙ SONT HUNTER ET BLAKE ? JE PENSAIS LES TROUVER ICI.

HÉ, TU SAIS,
JE NE PENSAIS PAS CERTAINS TRUCS QUE JE T'AI DITS SUR TA MOTIVATION.

OUAIS, TU ES UN SUPER-RANGER. UN VRAI BARJO, MAIS UN SUPER-RANGER.

MERCI, LES AMIS. ALLEZ, MONTEZ SUR VOS BÉCANES. SI VOUS VOULEZ QU'ON MAÎTRISE CES MOTOS TSUNAMI, ON FERAIT MIEUX DE S'Y METTRE.

O.K. ! MON VIEUX.

FINISH

VOUS N'AVEZ AUCUNE IDÉE DE CE QUI VOUS ATTEND.

AMUSEZ-VOUS TANT QUE VOUS POUVEZ.

FIN

WATER
AIR
EARTH
NINJA POWER

POWER RANGERS
NINJA STORM
POWER RANGERS
NINJA STORM
POWER RANGERS
NINJA STORM
Lizzie McGuire

ISBN : 201224607 9
22.39.4607.01.2

DÉPÔT LÉGAL N°45503 - MAI 2004
LOI N°49-956 DU 16 JUILLET 1949 SUR LES PUBLICATIONS DESTINÉES À LA JEUNESSE.
IMPRIMÉ CHEZ MATEU CROMO EN ESPAGNE.